Le rocher rouge

Red Rock

Stephen Rabley

Pictures by Bob Moulder

French by Marie-Thérèse Bougard

Lara Jones habite en Australie.
Son papa, John Jones, est star de cinéma.
Sa maman travaille pour un magazine de mode.
Ce soir, ils vont voir un nouveau film.
Lara ne voit pas souvent son père.
"Tu travailles tout le temps, Papa," dit-elle.
"OK, Lara," dit John. "Je commence un nouveau film près d'Uluru la semaine prochaine. Toi et Maman, vous pouvez venir me voir là-bas."

Lara Jones lives in Australia.
Her dad, John Jones, is a movie star.
Her mum works for a fashion magazine.
Tonight they are going to see a new film.
Lara doesn't often see her father.
"You work all the time, Dad," she says.
"OK, Lara," says John. "I'm starting a new film near Uluru next week. You and Mum can come and see me there."

Deux semaines plus tard, c'est les vacances d'été.
Lara est à l'aéroport de Sydney avec sa maman.
Elle est très contente. Elles vont à Uluru.
Mais soudain le téléphone de sa maman sonne.
Elle écoute pendant deux minutes. Elle a l'air inquiète.
"OK, je rentre au bureau maintenant," dit-elle.
"Je suis désolée, Lara. Il y a un *très* gros problème
au magazine. On ne peut pas aller voir ton papa."

Two weeks later it's the summer holidays.
Lara is at Sydney airport with her mum.
She is very happy. They are going to Uluru.
But suddenly her mum's phone rings.
She listens for two minutes. She looks worried.
"OK, I'm coming back to the office now," she says.
"I'm sorry, Lara. There's a *very* big problem
with the magazine. We can't visit your dad."

"S'il te plaît," dit Lara. "Je peux y aller toute seule."
"Non, tu ne peux pas. Tu es trop jeune," répond sa mère.
Elle regarde son téléphone, et puis elle regarde Lara.
"Mais j'ai une idée," dit-elle.
"Je vais appeler Kiku. Elle travaille pour ton papa.
Peut-être qu'elle peut aller te chercher à l'aéroport..."
"Merci, Maman," dit Lara. "C'est une super idée."

"Please," says Lara. "I can go on my own."

"No you can't. You're too young," replies her mother.

She looks at her phone, and then she looks at Lara.

"But I have an idea," she says.

"I'm going to call Kiku. She works for your dad.

Maybe she can meet you at the airport..."

"Thanks, Mum," says Lara. "That's a great idea."

L'avion arrive trois heures plus tard. Kiku est là.

"Salut, Lara. Je suis Kiku. Ma voiture est dehors."

Bientôt, elles voient un énorme rocher rouge au loin.

"Uluru," dit Lara. "C'est beau!"

"Oui," dit Kiku. "Et c'est dans le film de ton papa.

Regarde derrière toi – sur le siège."

Lara prend un classeur blanc sur le siège arrière.

Elle lit la première page.

"Le rocher rouge," dit-elle, en souriant.

The plane lands three hours later. Kiku is there.

"Hi, Lara. I'm Kiku. My car is outside."

Soon they see a huge red rock in the distance.

"Uluru," says Lara. "It's beautiful!"

"Yes," says Kiku, "and it's in your dad's film.

Look behind you – on the seat."

Lara takes a white folder from the back seat.

She reads the first page.

"*Red Rock*," she says, with a smile.

Elles arrivent sur le plateau. Tout le monde est très occupé.
Lara voit un homme grand avec une barbe grise.
"C'est Tom van Buren," dit Kiku. "C'est le réalisateur."
Dix secondes plus tard, Tom crie: "Action!"
Il y a un grand boum et beaucoup de fumée.
John Jones sort d'un bâtiment en voiture.
Lara sourit. "Qui fait la fumée, Kiku?"
"C'est Sam Carter," dit Kiku. "C'est un type super.
Tu le vois? Il porte un vieux chapeau bleu."

They reach the film set. Everyone is very busy.
Lara sees a tall man with a grey beard.
"That's Tom van Buren," says Kiku. "He's the director."
Ten seconds later Tom shouts, "Action!"
There's a big bang and a lot of smoke.
John Jones drives out of a building in a car.
Lara smiles. "Who makes the smoke, Kiku?"
"That's Sam Carter," says Kiku. "He's a great guy.
Can you see him? He's wearing an old blue hat."

Il fait très chaud et Lara a soif. Elle voit Sam Carter.
"Bonjour. Je suis Lara Jones," dit-elle.
Sam sourit. "Enchanté, Lara. Je suis Sam."
"S'il vous plaît, Sam, où puis-je trouver de l'eau?"
"Pas de problème," dit Sam. "C'est là-bas."
Dix minutes plus tard, Lara retourne sur le plateau.
Elle voit deux hommes. Ils ne la voient pas.
L'un dit: "La voiture est prête. Et la ferme de Hooper?"
"Tout est prêt là-bas," répond l'autre.

It's very hot and Lara is thirsty. She sees Sam Carter.

"Hello, I'm Lara Jones," she says.

Sam smiles. "Nice to meet you, Lara. I'm Sam."

"Please, Sam, where can I find some water?"

"No problem," says Sam. "It's over there."

Ten minutes later Lara is walking back to the set.

She sees two men. They don't see her.

One says, "The car's ready. What about Hooper's Farm?"

"Everything's ready there," replies the other man.

Un instant plus tard, Lara voit son père.

"Tu t'amuses bien, Lara?" dit-il.

"Oui, merci, Papa," répond Lara.

John Jones sourit. "OK. J'ai besoin d'une douche.

Ensuite, j'ai une réunion avec le réalisateur.

On peut déjeuner après ça, juste toi et moi, OK?"

"C'est bon, Papa," dit Lara. Elle est très contente.

A moment later Lara sees her father.
"Are you having fun, Lara?" he says.
"Yes, I am – thanks, Dad," replies Lara.
John Jones smiles. "OK, I need a shower.
Then I have a meeting with the director.
We can have lunch after that, just you and me, OK?"
"Fine, Dad," says Lara. She is very happy.

De retour sur le plateau, Kiku dit: "Tout va bien, Lara?"

"Oui, merci," dit Lara. "Tu veux de l'eau?"

Il est une heure moins le quart.

Tout le monde attend John.

A une heure et quart, Tom van Buren dit: "Où est-il? Kiku, allez le chercher, s'il vous plaît."

"Oui, Monsieur van Buren," dit Kiku.

Back on the set, Kiku says, "Is everything OK, Lara?"

"Yes, thanks," says Lara. "Do you want some water?"

It's quarter to one.

Everyone waits for John.

At quarter past one Tom van Buren says, "Where is he? Kiku, go and find him, please."

"Yes, Mr van Buren," says Kiku.

Après deux minutes, Kiku revient.
Elle tient un morceau de papier. Elle a l'air inquiète.
"Il n'est pas dans sa caravane," dit-elle.
Elle donne le morceau de papier à Tom van Buren.
Il le lit tout haut: *"Nous avons John Jones.*
Nous voulons cinq millions de dollars.
Attendez un coup de téléphone à six heures."
Tom van Buren regarde Kiku. Il est horrifié.
"Ça ne peut pas être vrai!" dit-il.

After two minutes Kiku comes back.

She is holding a piece of paper. She looks worried.

"He's not in his caravan," she says.

She gives the piece of paper to Tom van Buren.

He reads it aloud. *"We have John Jones.*

We want five million dollars.

Wait for a telephone call at six o'clock."

Tom van Buren looks at Kiku. He is horrified.

"This can't be true!" he says.

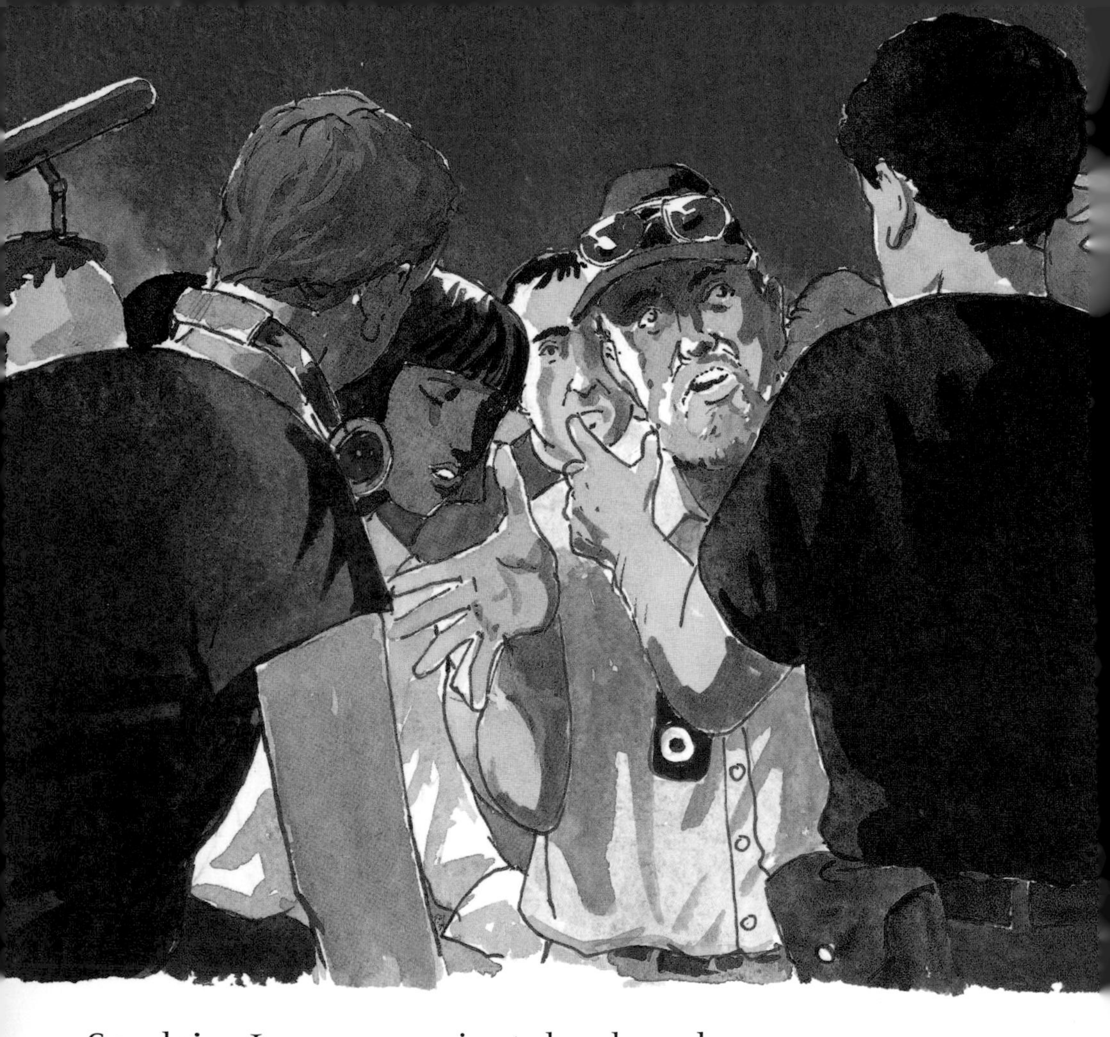

Soudain, Lara se souvient des deux hommes.
Ce sont peut-être les kidnappeurs!
Tout le monde parle à Tom van Buren.
"Il faut appeler la police," crient-ils.
"Excusez-moi," dit Lara. "Monsieur van Buren..."
Il n'entend pas. Elle essaie encore. C'est impossible.
Lara a peur. "Mon papa est en danger.
Je veux l'aider. *Mais qu'est-ce que je peux faire?"*

Suddenly Lara remembers the two men.
Maybe they're the kidnappers!
Everyone is talking to Tom van Buren.
"We must call the police," they cry.
"Excuse me," says Lara. "Mr van Buren..."
He doesn't hear. She tries again. It's impossible.
Lara is frightened. "My dad is in danger.
I want to help him. *But what can I do?"*

Lara se met à pleurer. Sam Carter la voit.

"C'est affreux," dit-il. "Je suis vraiment désolé."

Alors, Lara lui parle des deux hommes.

"La ferme de Hooper est près de chez ma sœur," dit Sam.

"C'est seulement à une demi-heure d'ici."

"J'ai besoin d'y aller maintenant," dit Lara.

"Je ne peux pas attendre la police. Pouvez-vous m'aider?"

"Oui, bien sûr," dit Sam. "Suis-moi."

Lara starts to cry. Sam Carter sees her.

"This is terrible," he says. "I'm really sorry."

Then Lara tells him about the two men.

"Hooper's Farm is near my sister's house," says Sam.

"It's only half an hour from here."

"I need to go there now," says Lara.

"I can't wait for the police. Can you help me?"

"Yes, of course," says Sam. "Follow me."

Dans le pick-up de Sam, Lara se souvient de quelque chose.
"Attendez!" dit-elle.
Elle écrit vite un mot pour Tom van Buren:
Je suis à la ferme de Hooper avec Sam.
Dites-le à la police. Lara.
Elle le met dans la boîte à lettres de la caravane de Tom,
et elle remonte dans le pick-up.
Sam conduit vite pour aller à la ferme de Hooper.

In Sam's truck, Lara remembers something.

"Wait!" she says.

Quickly she writes a note for Tom van Buren:

I'm at Hooper's Farm with Sam.

Tell the police. Lara.

She puts the note in the letterbox outside Tom's caravan, and she climbs back into the truck.

Sam drives fast towards Hooper's Farm.

La vieille ferme est très calme. Lara a peur.
"Regardez!" murmure-t-elle. Elle voit son père.
Les deux kidnappeurs sont dans une autre pièce.
"Qu'est-ce qu'on fait maintenant?" demande Lara.
"J'ai une idée," dit Sam. "Attends ici!"
Il revient quelques minutes plus tard –
avec la machine à fumée!
Bientôt la pièce se remplit de fumée.
Les kidnappeurs sortent de la maison en courant.

The old farmhouse is very quiet. Lara is scared.
“Look!” she whispers. She can see her father.
The two kidnappers are in a different room.
“What do we do now?” asks Lara.
“I’ve got an idea,” says Sam. “Wait here!”
He comes back a few minutes later –
with the smoke machine!
Soon the room fills with smoke.
The kidnappers run out of the house.

A ce moment-là, deux voitures de police arrivent.
"Tu es Lara Jones?" demande la policière.
"Oui," répond Lara. "Mon papa est dans la maison.
Aidez-le, s'il vous plaît."
Cinq minutes plus tard, John Jones est libre,
mais la police tient les kidnappeurs.
Ils les mettent dans la voiture de police.

At that moment two police cars arrive.
"Are you Lara Jones?" asks the police officer.
"Yes," replies Lara. "My dad's in the house.
Please help him."
Five minutes later John Jones is free,
but the police have got the kidnappers.
They put them in the police car.

Un an plus tard, John gagne un Oscar pour *Le rocher rouge*.
Lara, sa maman, Kiku et Sam le regardent tous.
"C'est un jour fantastique!" dit-il.
"Et je veux remercier une personne admirable."
"Vous voyez, je suis seulement un héros de film.
La véritable héroïne ce soir, c'est ma fille.
Lara, c'est pour toi!"

One year later, John wins an Oscar for *Red Rock*.
Lara, her mum, Kiku and Sam are all watching him.
"This is a fantastic day!" he says.
"And I want to thank a wonderful person."
"You see I'm only a hero in the movies.
The real hero tonight is my daughter.
Lara, this is for you!"

Quiz

You will need some paper and a pencil.

1 Here are some vehicles from the story. Copy the pictures and write the French words. They are on pages 8 and 28.

un ....   deux ....

2 Match the beginnings and endings to make true sentences about the story.

1 La maman de Lara	est réalisateur.
2 Le papa de Lara	travaille pour John Jones.
3 Sam Carter	est star de cinéma.
4 Tom van Buren	travaille pour un magazine de mode.
5 Kiku	conduit un pick-up.

3 Who says it? Find the names, then say the sentences.

1 "Tu travailles tout le temps."

2 "Tu es trop jeune."

3 "Il n'est pas dans sa caravane."

4 "C'est affreux. Je suis vraiment désolé."

5 "Je veux remercier une personne admirable."

C'est pour toi.

Answers

1 (un) avion, (deux) voitures de police

2 1 La maman de Lara travaille pour un magazine de mode. 2 Le papa de Lara est star de cinéma. 3 Sam Carter conduit un pick-up. 4 Tom van Buren est réalisateur. 5 Kiku travaille pour John Jones.

3 1 Lara. 2 La maman de Lara/Lara's mum. 3 Kiku. 4 Sam Carter. 5 John Jones/ le papa de Lara/ Lara's dad.

This is for you.